Imse vimse spindel

Imse vimse spindel

Rim och ramsor
för de minsta

I URVAL AV
HARRIET ALFONS
OCH *MARGOT HENRIKSON*

BERGHS

OMSLAG Anders Rahm
FORMGIVNING Margot Henrikson
TYPOGRAFI Roland Ingemarsson
I REDAKTIONEN HAR INGÅTT Ingela Davidson
PRODUKTION Bokfickan i Stockholm
© Berghs förlag • Barnens Bokklubb •
Bokfickan: Harriet Alfons och Margot Henrikson 1989

Ljungföretagen, Örebro 1995
6:e tryckningen
ISBN 91–502–0993–0

OMSLAGSBILD Brita och jag (detalj)
av Carl Larsson, 1895
Göteborgs konstmuseum

Innehåll

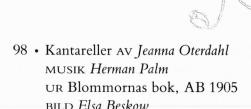

*Där ingen annan källa anges
kan texten räknas till
folktraditionen*

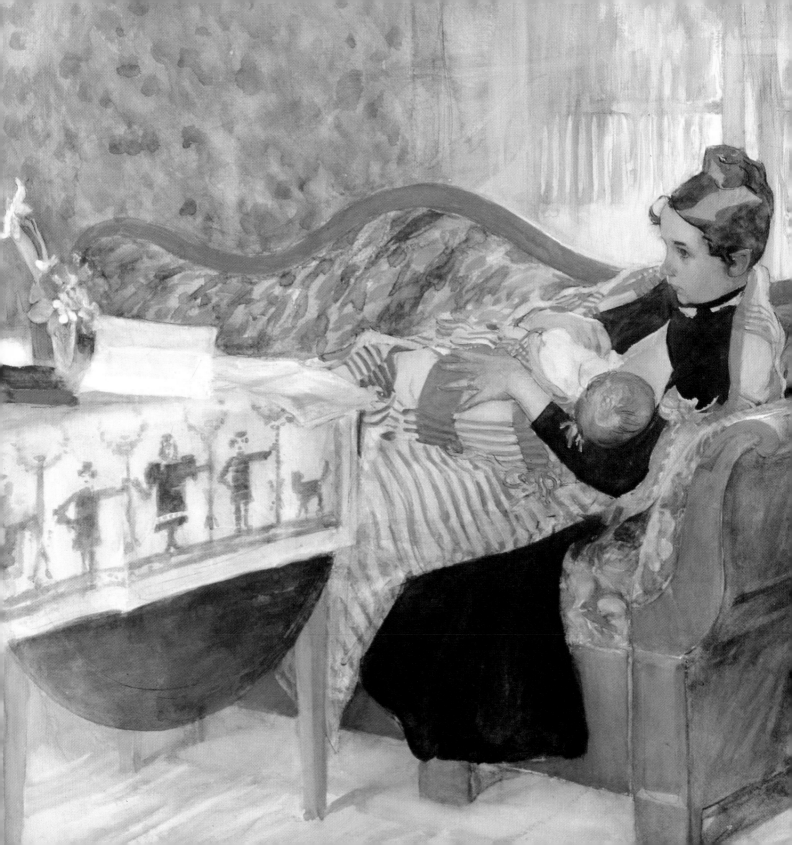

Några ord till läsaren…

I ALLA TIDER OCH KULTURER har kvinnor vaggat och vyssjat sina små till ro. Med ord och toner. Vad dyker upp i ditt minne när du betraktar Carl Larssons ömma porträtt av Karin och Brita? Kanhända hör du någon nynna:

Duddelidull, sov, lilla gull.
Duddelidos, sov, lilla ros.

Jag hör ingen ljus vaggsång. Möjligen anar jag svagt den dova mollstämda melodin till

När trollmor har lagt de elva små trollen
och bundit fast dem i svansen…

Men det är märkligt nog en helt annan sorts ramsa som tränger sig på i mitt minne — envist och ihärdigt:

"Vov vov", sade hunden.
"Den som slapp vara bunden."

"Jam, jam", sade katten.
"Tycker inte om vatten."

Jag tror att detta är den första ramsa jag minns, men kanske är det bara mitt undermedvetna som spelar mig ett spratt.

Däremot vet jag med bestämdhet när det där besynnerliga suget efter obegripliga ord dök upp:

Alla malla tjafs uti
fiskarmalajka,
alla malla tjafs uti
bingabångabej

Ordens magi och besvärjelseförmåga, den smittande rytmen. Allt detta finns i de gamla ramsorna. Men vad händer om ingen längre kommer ihåg dem, om ingen längre för traditionen vidare?

Bild Karin och Brita av Carl Larsson

Under alla de år jag arbetat med Barnens Bokklubb och Barnens Bokhandel har jag drömt om en vacker samlingsbok för små barn med rim och ramsor, visor och verser. Det bästa av vårt kulturarv och det yppersta av det nya i en salig blandning.

Det fanns för mig bara en person som skulle kunna göra en sådan bok — Harriet Alfons. Hon förenar en livslång erfarenhet av barnlitteratur med en stor lust, en kunskap utan pekpinnar. Och nu ligger den här färdig — Imse Vimse Spindel — med ett hundratal verser och över tvåhundra färgillustrationer.

Kommer du ihåg din barndoms bilder?

Språket i de gamla ramsorna väcker ofta bilder med doft från tidiga upplevelser. Jenny Nyströms svarta kråka som slinker än hit än dit. Elsa Beskows gula kantarell bort i enebacken. Ottilia Adelborgs gosiga vita lamm. Einar Nermans bruna pepparkaksgubbar. Alla finns med här i boken. Harriet Alfons och Margot Henrikson har finkammat Kungliga Biblioteket och Svenska Barnboksinstitutet på jakt efter de rätta bilderna.

Men boken fick inte bara bli en nostalgisk resa i det förflutna — först och främst är den till för dagens barn! Därför hittar du många välbekanta figurer från vår tid och ett stort antal helt nya illustrationer av våra främsta bilderbokskonstnärer.

I forna tiders böcker lyste papporna med sin frånvaro — idag har de lika stor roll som de vyssjande och lekande mammorna.

Kan du melodierna?

Någonstans inom oss har vi fler toner än vi anar. Forskare hävdar ju till och med att vårt rytmsinne inpräglas i oss under fosterlivets nio månader i mörkrum. Rytmen är musikens ursprung och de flesta ramsor har en melodi som vi intuitivt känner igen.

De "svåraste" och mest okända i boken har försetts med noter. Och om man nu inte kan sjunga och inte begriper noter? En klok person har sagt: "Det är viktigare *att* vi sjunger med barnen än *hur* vi sjunger".

Finns det någon pedagogik bakom boken?

Det existerar en underliggande struktur som jag hoppas både märks och ändå inte märks.

Det finns inga bättre lekredskap än ord. Du leker med babyns tår och upprepar och nynnar ord som blir till ett språk. Tvååringen skrattar högt åt ord han alls ej begriper: *Dinkeli dunkeli doja.* En treåring använder hela kroppen för att sjunga *Haren skuttar fram så fort.* En annan treåring berättar på sitt eget vis hela den sorgliga historien om *Kalle Kantarell* som slår sin lilla syster och får smäll. En fyraåring springer raskt och hämtar sin docka och en filt och spelar upp en teaterscen när hon hör *Goddag min fru, jag ser min fru, ni Lillan har i famnen.* En femåring börjar rita ett eget alfabet när han upptäcker Lasse Sandbergs *ABC.*

Detta är den fria fantasins pedagogik.

Lennart Hellsing har uttryckt det så här: "Det underbara med dessa ramsor är att de låter sig formas efter behag, efter vad man vill ha dem till."

Och då kommer jag plötsligt ihåg hur mina egna barn sjöng:

"Vov vov", sade katten.
"Tycker inte om vatten."

"Jam, jam", sade hunden.
"Den som slapp var bunden."

Med ett högtidligt ord kallas sådant för "omvändningar" — ett begrepp som myntades av den ryske språkforskaren Kornej Tjukovskij. Det visste vare sig barnen eller jag — men roligt hade vi!

MARIANNE VON BAUMGARTEN-LINDBERG

Ro, ro barnet,

katten hänger i garnet.

Ro, ro lilla barn,

katten hänger i mammas garn.

Ro, ro barnet,

katten hänger i garnet.

Ro, ro lilla vän,

kisse kommer nog loss igen.

Bild Elisabeth Nyman

killeKillRAMSOR

Tåtisse,
fotbisse,
benborre,
knäkorre,
lårvecken,
och liten vällingsäck!

Klappa, klappa händerna,
tussa, tussa vovvarna,
räven i riset.
Ta inte bort, ta inte bort
mammas lilla gullegris.

Det kommer en mus
den kryper och krallar,
den hoppar och sprallar,
den tigger om hus,
och får den inte låna hus,
så säger den piip!

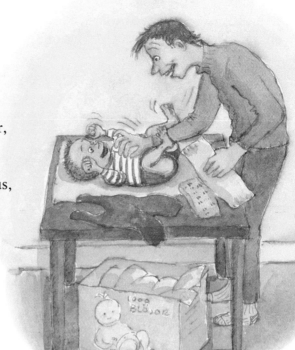

Nu kommer min katta,
nu kommer min katta;
hon haltar och hon går,
hon tar allt vad hon får.
Så tar hon lilla Marcus
och så säger hon p-i-i-p!

Här kommer kissekatten
så tyst på tå om natten.
Lilla råtta, göm dig bra!
Dig vill kissekatten ha!

Bild Cecilia Torudd

15

Trollmors vaggsång

När trollmor har lagt de elva små trollen
och bundit fast dem i svansen,
då sjunger hon sakta för elva små trollen
de vackraste ord hon känner:
Ho aj aj aj aj buff, ho aj aj aj aj buff.
Ho aj aj aj aj buff, buff, ho aj aj aj aj buff.

Text Margit Holmberg   *Bild* Björn Berg

Bromsarna de brumma,
katten slog uppå trumma,
fyra möss de gå i dans,
så hela jorden dundra'.

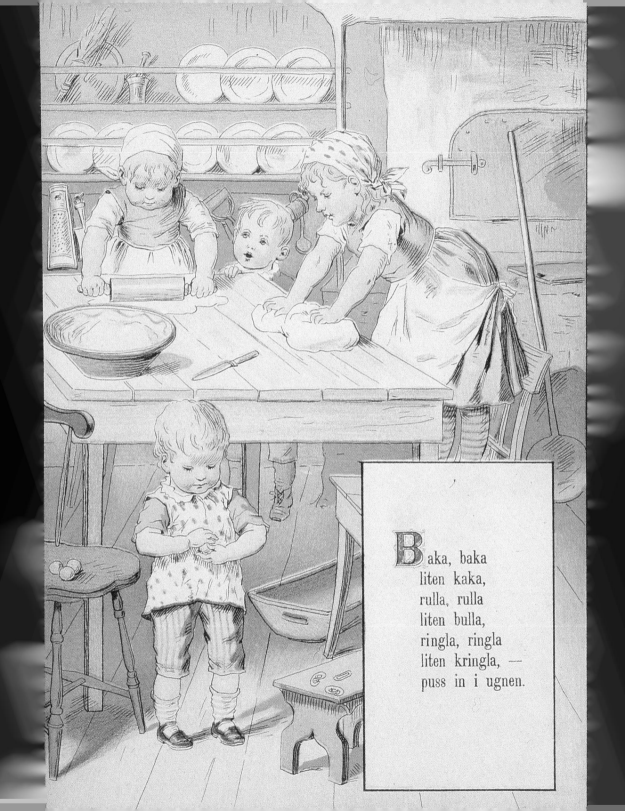

Baka, baka
liten kaka,
rulla, rulla
liten bulla,
ringla, ringla
liten kringla, —
puss in i ugnen.

Gossen skulle åka,
Spände för en kråka.
Ingen hade han som körde.
Än slank han hit,
Än slank han dit,—

Än slank han ner i diket.

FINGER- och TÅRAMSOR

Den första vill äta
den andra vill peta
den tredje vill steka
den fjärde vill leka
den femte, den lill, lill, lill
vill också hjälpa till.

Den lilla grisen ska gå på torget.
Den lilla grisen får hemma sitta.
Den lilla grisen får mjölk och kaka.
Den lilla grisen får stå och titta.
Den lilla grisen säger: Oii, oii, oii!

(När man klipper naglarna)
Snipp! Det var tummetott.
Snopp! Det var slickepott.
Surr! Det var långeman.
Burr! Det var gullebrand.
Hej! Det var lilla vicke vire.

Den stal ett ägg,
den stekte't,
den salta't,
den åt'et,
och den tokern smet
och skvallrade till stor förtret.

LÅNGEMAN

GULDE BRAND

SLICKEPOTT

TUMME TOTT

LILLE VICKE VIRE

Bild Einar Nerman

22

Stortån,
tåtån,
tåtilla,
tillrosa
och lillpinken.

Stortå
lilletå
timpen
tampen
och lilltyta.

Titele,
totele,
makafru,
spelarros,
stortampen upp i vädret!

*(här böjer man upp stortån
och skakar på den)*

Sko, sko liten häst
i morgon
blir det snö och frost
då blir skorna dyra
tre daler och fyra.

(Bulta barnet under foten!)

Bild Esbjörn av Carl Larsson

RÖRELSERAMSOR

*S*pring efter vatten, spring efter vatten! Ös i, ös i! Spring hem, spring hem!

Ös ur, ös ur! Och vält hela byttan!

*E*n liten regndroppe faller så lätt
ner på din näsa, lätt som en plätt.

Två små regndroppar faller så lätt
ner på din panna, lätt som en plätt.

Många små regndroppar faller så lätt
ner på ditt ansikte, lätt som en plätt.

Åååh, vad det regnar,
nu blåser det bort.

Text Margareta Strömstedt

*I*mse vimse spindeln
klättra upp på trån

ner kom allt regnet
spola spindeln bort.

Upp steg solen
torka bort allt regn.

Imse vimse spindeln
klättra upp igen.

Bild Björn Berg

I ett hus vid skogens slut

I ett hus vid skogens slut li-ten tom-te
tit-tar ut. Ha-ren skut-tar fram så fort
knac-kar på hans port. Hjälp, o, hjälp o
hjälp du mig, an-nars skju-ter jä-garn mig!
Kom, o, kom, i hus-et in, räck mig handen din.

I ett hus vid skogens slut
liten tomte tittar ut.

Haren skuttar fram så fort,
knackar på hans port.

26

Hjälp, o, hjälp,
o hjälp du mig,
annars skjuter jägarn mig.

Kom, o, kom i huset in,
räck mig handen din.

Bild Björn Berg

Bussvisa

Text och musik Margareta Strömstedt

Ser ni vem det är som kör
bussen genom stan.
Ola Svensson är chaufför,
se så fint han bussen kör.
Alla blir på gott humör
hela långa dan,
tut, tut, tut, tut…

Hör ni vem som tutar nu,
så det hörs i stan.
Ola Svensson är det ju
som kör buss och tutar nu.
Akta dig min lilla fru,
gå på trottoarn.

*H*opp, min far,
sicken häst jag har,
sickna lår, sickna ben,
sickna skutt han tar.

ild Björn Berg

BÄ, BÄ, VITA LAMM, HAR DU NÅGON ULL?

JA, JA, LILLA BARN, JAG HAR SÄCKEN FULL.

HELGDAGSROCK ÅT FAR,

SÖNDAGSKJOL ÅT MOR

OCH TVÅ PAR STRUMPOR ÅT LILLE, LILLE BROR.

Bild Ottilia Adelborg

Jag kan själv

Text och musik Olle Adolphson
Bild Olof Landström

Jag vill gö - ra, jag kan själv, men al - la mås - te hjäl - pa.

Allt som jag kan näs - tan nå tror al - la jag ska väl - ta.

Smö - ret skul - le sma - ka bra, men det får jag in - te ta.

När jag skär en bit av os - ten tar dom den i - från mej.

Jag vill ta en sked med kräm, jag spil - ler in - te på mej.

Bul - le skul - le sma - ka gott, men då flyt - tar bul - len bort.

När jag tar min e - gen mugg, tror al - la den ska stjäl - pa.

Lim - pan den är god och seg, men den fly - ger bort sin väg.

Jag vill gö - ra, jag kan själv, men jämt ska al - la hjäl - pa.

Jag vill göra, jag kan själv, men alla måste hjälpa.
Allt som jag kan nästan nå tror alla jag ska välta.

Smöret skulle smaka bra,
men det får jag inte ta.

När jag skär en bit av osten
tar dom den ifrån mej.
Jag vill ta en sked med kräm
jag spiller inte på mej.

Bulle skulle smaka gott,
men då flyttar bullen bort.
När jag tar min egen mugg,
tror alla den ska stjälpa.

Limpan den är god och seg,
men den flyger bort sin väg.
Jag vill göra, jag kan själv,
men jämt ska alla hjälpa.

33

Den lilla, lilla gumman och hennes lilla, lilla katt

Det var en gång en liten, liten gumma
som bodde i en liten, liten stuga.
Och i stugan hade hon ett litet, litet bord.
Och så hade hon en liten, liten lagård
Och i lagårn hade hon en liten, liten ko.
Och så hade hon en liten, liten stäva.

En gång gick hon till den lilla, lilla lagårn
och mjölkade den lilla, lilla kon
i den lilla, lilla stävan.

Så tog hon den lilla, lilla stävan
med den lilla, lilla mjölken
och gick in i den lilla, lilla stugan
och satte den på det lilla, lilla bordet.

Så hade hon en liten, liten katt
som sa miau.
Och när gumman gick efter ett litet, litet fat
för att sila den lilla, lilla mjölken,
så hoppade den lilla, lilla katten
upp på det lilla, lilla bordet
och drack ur all mjölken.

Men då sa gumman: Schas katta!

Och katten sprang till skogs
och kom aldrig mer igen.

Bild Jenny Nyström

PEPPARKAKSGUBBAR.

Vi komma, vi komma från Pepparkakeland, och vä-gen vi van-drat till samman hand i
Tre gubbar, tre gubbar från pepparkakeland, till ju-len, till ju-len vi kom≥ma hand i

hand Så bru-na så bru-na vi ä-ro alla tre, ko-rín-ter till ögon och hattarna på sne.
hand Men tomten och bocken vi lämnat vid vår spis, de vil-le inte resa från sin pepparkake-gris.

SOCKERBAGARN

EN SOCKERBAGARE
HÄR BOR I STADEN
HAN BAKAR KAKOR
MEST HELA DAGEN
HAN BAKAR STORA
HAN BAKAR SMÅ
HAN BAKAR
NÅGRA
MED
SOCKER
PÅ

Bild Einar Nerman

37

Ekorr'n satt i granen

Ekorr'n satt i granen,
skulle skala kottar,
fick han höra barnen,
då fick han så bråttom.
Hoppa' han på tallegren,
stötte han sitt lilla ben
och den långa ludna svansen.

38

Blinka lilla stjärna

Blinka lilla stjärna där,
hur jag undrar vad du är!
Fjärran lockar du min syn,
lik en diamant i skyn.
Blinka lilla stjärna där,
hur jag undrar vad du är.

När den sköna sol gått ner,
strax du kommer fram och ler,
börjar klar din stilla gång,
glimmar, glimmar natten lång.
Blinka lilla stjärna där,
hur jag undrar vad du är.

Bild Mati Lepp

Rim för smått folk

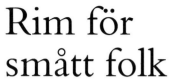

"Vov, vov", sade hunden.
"Den som slapp vara bunden!"
"Jam, jam", sade katten.
"Tycker inte om vatten."

"Surr, surr", sade flugan.
"Varmt och gott är i stugan."
"Nöff, nöff", sade grisen.
"Jag får mat utav Lisen."

”Mä, mä”, sade lammen.
”Får vi gnaga på stammen?”
”Kvak, kvak”, sa en groda.
”Feta flugor är goda.”

"Mu, mu", sade Stjärna.
"Klöver äter jag gärna."
"Krak, krak", sa en kråka.
"Snälla barn få ej bråka."

42   *Text* Sigrid Sköldberg   *Bild* Åke Eriksson

Två små troll

Två små troll bodde i ett såll.

— Det regnar, sa trollet Murr, det regnar hela dagen.

— Det är tråkigt, sa trollet Plurr, för jag förkyler magen.

Två små troll bodde i ett såll.

— Vi måste, sa trollet Murr, vårt tak med lera täta.

— Det är rysligt, sa trollet Plurr, att bo i sådan väta.

Regn, regn, regn — var ska man få hägn?

De smeta och smaska på, tills det blir tätat, sållet.

— Nu har vi det bra ändå, sa Murr, det äldre trollet.

Ler, ler, ler samlas mer och mer.

— Nu har vi det skönt, sa Murr, trots regnet hela dagen.

— Ja, se nu är det bra!, sa Plurr, tänk jag blev bra i magen.

Två små troll sutto i ett såll.

Text Anna Maria Roos   *Bild* Louis Moe

Lillans Månresa
av Ivar Arosenius

Och Lillan såg mot himlen opp

där sken så gul en ostakropp.

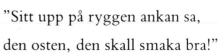

"Sitt upp på ryggen ankan sa,

den osten, den skall smaka bra!"

Och Lillan hon en anka ber:

"För mig till osten som jag ser!"

Till månen strax de foro opp
och proppa ost uti sin kropp.

Och ankan sen tillbaka flög.
Ja, fråga Lillan om jag ljög.

Hon sade sen till mor och far.
"En läcker ost den månen var!"

De kunde se att det var sant.
På himlen sken en ostakant.
Ty det var allt de lämnat kvar.
Så god den himlaosten var.

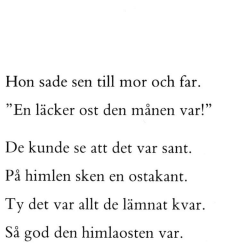

Huset som Hans byggde

Här är huset, som Hans byggde.

Här är mjölet, som fanns i huset,
som Hans byggde.

Här är råttan, som åt mjölet,
som fanns i huset,
som Hans byggde.

Här är katten, som tog råttan,
som åt mjölet,
som fanns i huset,
som Hans byggde.

Här är hunden, som bet katt
som tog råttan,
som åt mjölet,
som fanns i huset,
som Hans byggde

Bild Sven Nordqvist

Här är kon, som stångade hunden,
som bet katten,
som tog råttan,
som åt mjölet,
som fanns i huset,
som Hans byggde.

Här är flickan, som mjölkade kon,
som stångade hunden,
som bet katten,
som tog råttan,
som åt mjölet,
som fanns i huset,
som Hans byggde.

Katten och musen

Det var en gång en katt och en mus
som bodde i samma hus.

Nu tar jag dig,
sa katten till musen.

Kära, söta, låt mig vara!
Jag ska berätta en saga för dig, sa musen.

Nå, låt höra!
sa katten.

Jag stod en gång med kvasten
och sopade mitt golv, sa musen.

Då var det inte smutsigt,
sa katten.

Så hittade jag en tolvskilling,
sa musen.

Då var du inte fattig,
sa katten.

Så köpte jag mig en fläskbit,
sa musen.

Då var du inte fläsklös,
sa katten.

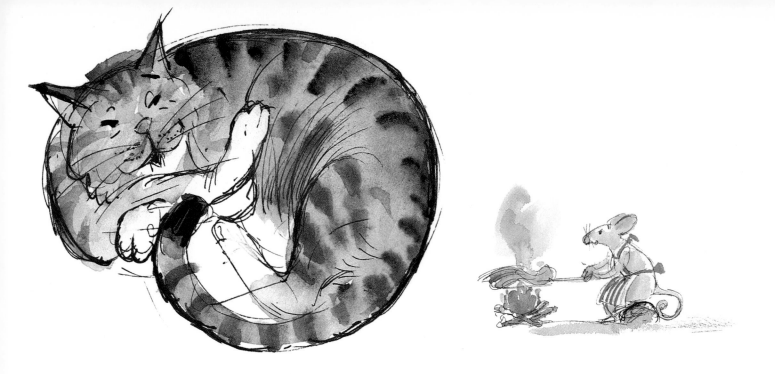

Så la jag den på elden och stekte den,
sa musen.

Då åt du den inte rå,
sa katten.

Så la jag den på taket, för att den skulle svalna,
sa musen.

Då brände du dig inte,
sa katten.

Så kom en skata och tog den,
sa musen.

Då tar jag dig!
sa katten.

Och så tog katten den lilla musen!

Bild Åke Eriksson

Rida rida ranka

Musik August Ekenberg

Ri- da, ri - da ran- ka, häs-ten heter Blan - ka. Li-ten rid - da-re så rar än-nu inga sporrar har. När han dem har vun-nit, barndomsro för-svunnit.

Så sjöng hon för sin älsk-ling om li-vets ä-ven- tyr och log e-mel-lan tå-rar, fru Blan-ka av Na-mur. Och när kung Hå-kan vun- nit båd sporrar, land och brud, nog mindes han med ve- mod den barn-doms-sångens ljud.

Rida, rida ranka,
hästen heter Blanka.
Liten riddare så rar
ännu inga sporrar har.
När han dem har vunnit,
barndomsro försvunnit.

Rida, rida ranka,
hästen heter Blanka.
Liten pilt med ögon blå,
kungakronor skall du få.
När du dem har vunnit,
ungdomsro försvunnit.

Så sjöng hon för sin älskling
om livets äventyr
och log emellan tårar,
fru Blanka av Namur.
Och när kung Håkan vunnit
båd sporrar, land och brud,
nog mindes han med vemod
den barndomssångens ljud.

Text Henrik Hallbäck
Bild Drottning Blanka av Albert Edelfelt

Hej diddeli dela,
en katt och en fela,
och kon hoppa högre än månen.
Men hunden han skratta
sig nästan ur led,
och tallriken smet med en sked.

Bild Nicola Bayley

Lille Måns Klumpedump
satt uti ett träd
och klumpedumpen trilla
och slog sitt lilla knä.
Och alla kungens hästar
och alla kungens män,
de kunde inte draga upp
Måns Klumpedump igen.

En krokig liten man
gick en krokig liten mil
och fann en krokig enkrona
under en krokig pil.
Han köpte en krokig katt
som tog en krokig mus
och så bodde de tillsammans
i ett krokigt litet hus.

Det var en gammal gumma
som bodde i en sko.
Hon hade så många ungar
så det kan ni aldrig tro.

Hon gav dem litet välling
och litet bröd var kväll
och när de skulle gå till sängs
så fick de litet smäll.

Hickori dickori docka
musen sprang in i en klocka.
Klockan slog ett,
musen fick det hett.
Hickori dickori docka.

Sjunga för en daler
och fickan full av råg.
Tjugofyra trastar
i en pudding låg.

Kungen tog sig pudding,
då blev det musik.
Tjugofyra trastar
flög ut med pip och skrik.

Alla sina pengar
räknar nu vår konung.
Drottningen i kammarn
äter bröd och honung.

Pigan uti parken
hänger tvätt i hast,
får ett nyp i näsan
av en elak trast.

Lille trille
låg på hyllan,
lille trille
trilla ner.

Ingen man — i detta land — lille trille — rädda kan.

Gamla Fru Lundgren
och hennes hund

Gamla fru Lundgren
gick till buffén
för att hämta till hunden ett ben.
Men när hon kom dit,
fanns där inte en bit,
så hunden var hungrig igen.

Då gick hon till bagarn
för att köpa ett bröd.
Och när hon kom hem,
var hundstackarn död.

Att skaffa en kista
fick gumman nu brått.
Men när hon kom hem
skratta hunden så gott.

När hon sedan gått ut
efter biffstek med lök,
låg hunden på soffan
och tog sig en rök.

En öl ifrån krogen
nu bra skulle smaka,
men hund' gick på händer
när frun kom tillbaka.

Så gick hon ut,
köpte hunden en hatt.
Och när hon kom hem,
gav han mat åt sin katt.

En peruk, tänkte frun,
ska min hundälskling få.
och när hon kom hem,
dansa hunden på tå.

Sen gick hon till torget,
och kom hem på sekunden.
Vad fick hon se?
Flöjt spelade hunden!

Hos skräddaren hon köpte
till honom en rock.
När hon kom hem,
red hunden en bock.

Och när hon gått ut,
och köpt ett par skor
låg hunden och läste.
Fruns häpnad blev stor.

När hunden sen klätt sig
i sin elegans,
fru Lundgen fick lust
att tråda en dans.

Hon neg för sin hund
och sa: Får jag lov?
och hunden, han buga
och svara: Vov-vov!

Text Sara C Martin
Bild J. B. Zwecker

HIGGELI PIGGELI POP!

TEXT OCH BILDER AV
MAURICE SENDAK

Halvvägs

Halvvägs i vår trapp
är mitt trappsteg,
och jag vet:
inget annat
är
precis som
det.
Inte längst nere,
inte högst opp.
Här är mitt trappsteg,
här
gör jag stopp!

Halvvägs,
här sitter
jag halva dan.
Inte i barnkammarn,
inte på stan.
Här tänker jag *tankar:*
"Halvvägs, det är
inte nånstans.
Det är ingenstans
här!"

Hoppeli hopp

Christoffer Robin
hoppar och skuttar.
Hoppeli hoppeli hopp!

Och var gång jag artigt
ber honom sluta,
säger han: — Kan inte!
Kan inte alls. Det är stopp!

Han *måste* ju hoppa,
för hoppar han inte,
då kommer han inte
ur fläcken, och därför så
hoppar han:
hoppeli hoppeli
hoppeli
hoppeli
hopp!

Text A A Milne   *Bild* E H Shepard

ORDskoj

Vad ska vi göra?

Ta två katter och köra,

ta svansarna till töm

och köra ner i Norrström.

Vet du vad vi gör?

Vi reser till Skanör

och köper ett kilo smör

och lever tills vi dör.

Har du ont i magen,
gå till Per i hagen!
Är han inte hemma,
gå till moster Emma!
Är han inte där,
gå till Sankte Pär!
Är han också borta,
gå då till faster Lotta
och skaffa dig en potta!

Bild Eva Eriksson

Alla malla tjafs uti fiskarmalajka,

alla malla tjafs uti bingabångabej.

Hej skudderi skudderumpen stumpen,

hej skudderi skudderullan lej.

Kläderna vi bära på

äro utav kinatrå,

tjipp tjopp, tjipp tjopp, kinaman.

SUMMA
SUMMARUM

Ramsor av LENNART HELLSING
Gubbar av POUL STRÖYER

Dinkeli dunkeli doja
heter en grön pappegoja.
Dinkeli dunk
heter en munk
som bor i en pepparkakskoja.

Lappricka pappricka puddingpastej,
när jag blir stor ska jag spela för dej:
Trumma på min trumma, gnida min fiol,
skjuta ner små plommon med korkpistol.

Lappricka pappricka puddingpastej,
när jag blir stor ska jag spela för dej:
Knäppa på gitarren, blåsa i trumpet,
skaka ner små päron ur äppelträt.

Lappricka pappricka puddingpastej,
när jag blir stor ska jag gunga med dej
i ett gult citronskal många gula mil
upp och ner och bort på sjön av citronil.

Opsis Kalopsis sitter på en äng
spelar på en harpa med en liten sträng:
Plingeli plong han spelar hela dagen
så att det ekar ända bort i hagen.

Inne i köket — tro det om du vill
såg jag en kattunge dansa med en sill.
Där under bordet — tro det om du orkar
såg jag en korkskruv dansa med två korkar.

Och uppe på spisen — tro det om du kan
dansar en tesil med en engelsman.
Och uppå hyllan — tro det om du gitter
far en söt mandel med en som är bitter.

Och i ett fönster — tro det om du törs
skramlar två tvåkronor i en gammal börs.
Hej kantareller upp med er och hoppa
tag ett glas saft och var så god
                        och doppa!

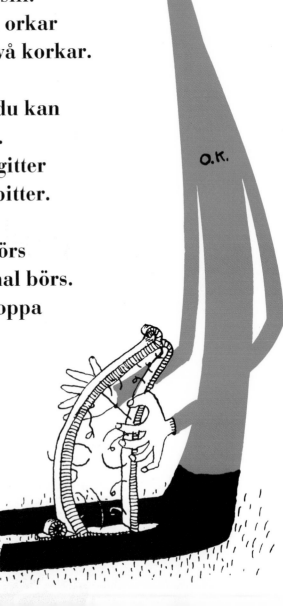

"Mors lilla Olle i skogen gick"

MORS LILLA OLLE

Text och musik Alice Tegnér

Mors lil-la Ol - le i sko-gen gick, ro-sor på kind och sol-sken i blick.

Läp-par-na små ut-av bär ä-ro blå. "Ba - ra jag slapp att så en-sam här gå!"

Brummelibrum, vem lufsar där?
Buskarna knaka. En hund visst det är.
Lurvig är pälsen. Men Olle blir glad:
"Å, en kamrat, det var bra, se goddag!"

Klappar så björnen med händer små,
räcker fram korgen: "Se där, smaka på!"
Nalle han slukar mest allt vad där är:
"Hör du, jag tror, att du tycker om bär!"

Mor fick nu se dem, gav till ett skri.
Björnen sprang bort, nu är leken förbi!
"Å, varför skrämde du undan min vän?
Mor, lilla, bed honom komma igen!"

Bild Elsa Beskow

Klättermusens vaggvisa

Text och bild Thorbjørn Egner
Svensk text Ulf Peder Olrog och Håkan Norlén   *Musik* Christian Hartmann

Vyss lull lil - la palt, le - ka får du se - dan.

Al - la mus - barn ö - ver - allt so - ver al - la - re - dan.

Som - na sött i vag - gan din. Jag ska in - te stö - ra.

Rä - ven so - ver ock - så nu med svan - sen un - der ö - rat.

Vyss lull, lilla palt,
leka får du sedan.
Alla musbarn överallt
sover allaredan.

Somna sött i vaggan du.
Jag skall inte störa.
Räven sover också nu
med svansen under örat.

Nalles vaggsång för sig själv

Duddelidull,
sov, lilla gull.
Luta din lockiga skalle
mjukt emot kudden, o Nalle.
Duddelidull,
sov, lilla gull.

Duddelidatt,
sov, lilla skatt.
Slut dina ögon, de klara,
tindrande, mörka och rara.
Duddelidatt,
sov, lilla skatt.

Duddelidos,
sov, lilla ros.
Knäpp dina tassar och fötter,
läs nu en bön för en trötter.
Duddelidos,
sov, lilla ros

Text Britt G Hallqvist   *Bild* Inga-Karin Eriksson

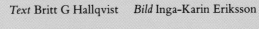

Födelsedagsvisa

Vad är det för ett bus?
Vad är det för ett bus?
Nej, det är inte alls något bus.
Det är en tårta med ett litet ljus.
Det är väl inget bus!

Vad är det för en dag,
vad är det för en dag?
Är det en alldeles vanlig dag?
Nej, det är Adams födelsedag!
HURRA, HURRA, HURRA!

Text och musik Margareta Strömstedt
Bild Ingrid Vang-Nyman

-les van-lig dag nej, det är Ad-ams fö-del-se dag hur - ra hur - ra hur - ra! ett li-tet ljus

alls något bus det är en tår-ta med det är väl in- get bus

Från **A** till **Ö** av Inger och Lasse Sandberg

A
a

Anders börjar med bokstaven A
det tycker Anders är jättebra.

B
b B

Beata heter en blå boll
som kan räkna ända till noll.

Cilla äter alltid champinjoner
utom ibland då hon äter meloner.

C
c
C
c

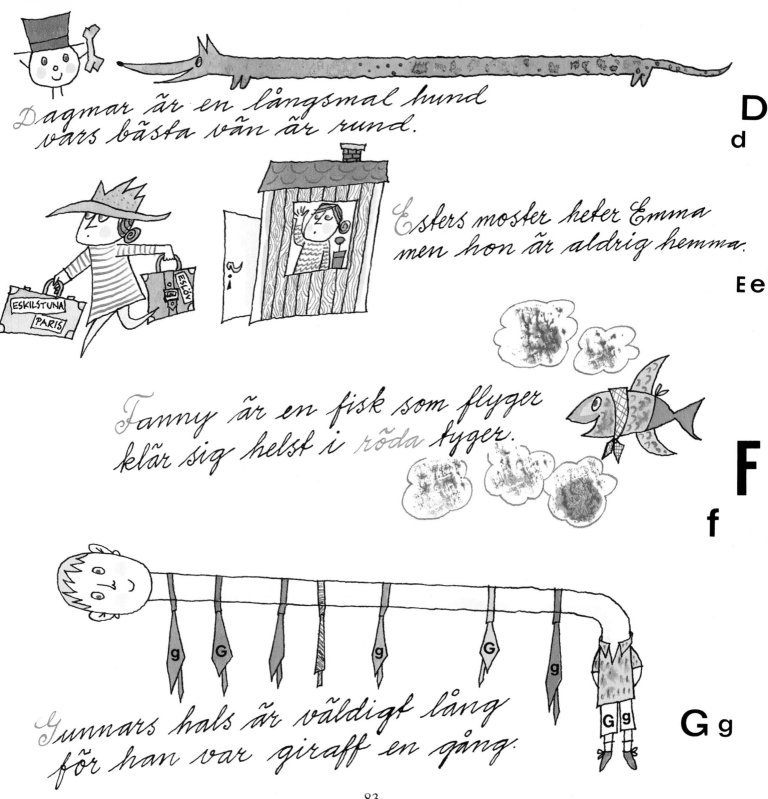

Dagmar är en långsmal hund
vars bästa vän är rund.

D
d

Esters moster heter Emma
men hon är aldrig hemma.

E e

Fanny är en fisk som flyger
klär sig helst i röda tyger.

F
f

Gunnars hals är väldigt lång
för han var giraff en gång.

G g

Hildas hund har mycket hår
Huldas hatt har tio tår.

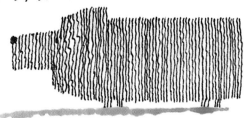

Hh

Ida inte alls förstår
varför imorgon inte är igår.

Iiiiii

Julius jul är fylld av paket
jul är det bästa Julius vet.

Jj

K k

Klas är en dum kung från Karamellien
som nu har blivit riktigt snäll igen.

L l

Lage lipar som en sill
när han får men inte vill.

M m

Melkers mässling den är svår
den svåraste han haft i år.

Nanna hon vill inte sova
utan napp det vill jag lova.

N n

N nn

Olivias olle är alldeles för stor
den tillhör Olivias storebror.

Oo

Patrik bjuder på pastill
Paulina vill ha en till.

P P P
P P
P
pppppp

P
p

Queen är namnet på en drottningmor
som alltid har för stora skor.

Qq

Rut är busig och Rakel är rar
Rune är Ruts och Rakels far.

R
r

s

s

s

s

Selma sa Svante till Sara
kan du låta Sören vara.

Tyko blev så väldigt trött
när han målat allt i rött.

Ulf han nästan inget ser
för han går alltid upp och ner.

Uu

V v

Vega är en duktig gris
kan engelska och säger please.

please

W w

Wiktor dansar wienervals
men det kan han inte alls.

X x

Xantippa heter en glad mus
som äter bakelser och hus.

Yngve är en krokodil så yster
betydligt lugnare är hans syster.

Y y

Zabina har en lillebror
mycket större än du tror.

Åke fyller åtta år
varje gång som åskan går.

Å
å

Ãdel heter en äkta greve
som har barnprogram i teve.

Ä
ä

Örjan är en gammal sjöman
vars efternamn är Öhman.

Ö
ö

89

1 Från ett... ...till tio

På denna tråd, du räknar lätt.
En fågelunge, det blir...

2

Nu kom en till. Vad blir det då
En unge och hans bror är.

3

-Sitt still på tråden, får jag be
hörs liten röst till fåglar...

4

Det är en vilsekommen myra,
som väldigt gärna vill bli....

5

-Vi vill ha mat, vi längtar hem!
Nu kommer mamman, det blir

6

En duva bjuder sen på kex
Det räcker bra till alla...

90

7

Som tvätt på tork, här hänger nu,
en fladdermus som nummer ....!

8

En mätarlarv syns tråden måtta.
Hon ålar fram till platsen ....

9

Sen dyker pappan upp från bio,
och när han landar blir dom ...

10

Nu är det mörkt, som natt i Rio,
Med månen räknar vi till ...

Bild och text Marika Delin

Alfons Åbergs knapervisa

Text och bild Gunilla Bergström

Musik Georg Riedel

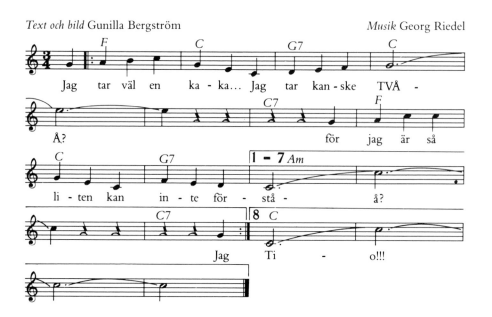

Jag tar väl en ka-ka... Jag tar kan-ske TVÅ –
Å? för jag är så
li-ten kan in-te för-stå – å?
Jag Ti – o!!!

Jag tar väl en kaka…
Jag tar kanske TVÅ?
För jag är så liten,
kan inte förstå…

Jag tar väl två stycken.
Nä, nu tar jag TRE!
För jag är så liten
— får inte va' me'.

Jag tar väl tre stycken
— och sen tar jag FYRA!
För att jag är liten,
ja, nästan en… myra.

Och nu tar jag fyra,
och nu tar jag FEM,
för jag är så lessen
och jag längtar hem.

Jag tar väl fem kakor
– jag tar kanske SEX?
(hoppsan, den kakan –
den var visst ett kex!)

Jag tar väl sex kakor,
jag tar kanske SJU
– för jag är så lessen
och liten, ju...

Jag tar väl sju stycken
och sen tar jag ÅTTA!!
Ja, den som är lessen
behöver en "gotta"

... och elva. Och tretton!
Och sjutton, och nio!
Ja, den som är liten
ska få... FEMTI-TIO!!!

Lillans aviga dag

Alla Lillans kläder
är aviga i dag!
Båda Lillans strumpor
har snurrat runt, ack ja!

Båda Lillans ögon
vill droppa skvätt på skvätt
och en så droppig näsa
som Lillans ingen sett.

Alla Lillans dockor
är stygga mot sin mor,
och se på dumma Nalle
så hans knappnålsögon glor!

Alla Lillans kakor
dom har dom ätit opp
och nu har Lillan bara
tre russin i en kopp.

Hela Lillans huvud
är fullt av små, små mygg.
I Lillans mage gör det ont
och ont i Lillans rygg.

Så lägger mamma Lillan,
då gråter hon en skvätt,
men mamma klappar Lillans kind
så sakta och så lätt.

Nu sitter hon vid sängen
och sjunger om en katt
som sprang och sprang men inte fick
den lilla svansen fatt.

Text Britt G Hallqvist   *Bild* Gunna Grähs   94

En liten stump

Jag ska sjunga en liten stump
om denna lilla katten:
Han skulle springa efter sin svans,
men han fick inte fatt'en.
Katten sprang,
svansen slang.
Katten sprang och svansen slang.
Denna visan är inte lång,
vi kan sjunga den än en gång.
Denna visan är inte lång,
men nu tar vi en annan sång.

Blåsippor

Text Anna Maria Roos

Musik Alice Tegnér

Blåsippan ute i backarna står,
niger och säger: "Nu är det vår!"
Barnen de plocka små sipporna glatt,
rusa sen hem under rop och skratt.

"Mor, nu är våren kommen, mor!
Nu får vi gå utan strumpor och skor.
Blåsippor ute i backarna stå,
ha varken skor eller strumpor på."

Mor i stugan, hon säjer så:
"Blåsippor aldrig snuva få.
Än få ni gå med strumpor och skor,
än är det vinter kvar", säger mor.

Bild Elsa Beskow

BLÅSIPPAN UTE I BACKARNA STÅR, NIGER OCH SÄGER: "NU ÄR DET VÅR!"

Kantareller

Har du sett herr Kantarell,
bor i enebacken?
Han kom dit i förrgår kväll
med sin hatt på nacken.
Den är gul, och den är grann,
passar just en sådan man,
passar åt herr Kantarell
bort i enebacken.

Har du sett fru Kantarell
i den gula kjolen?
Hon är rund och glad och snäll,
skiner rätt som solen.
Jämt hon har ett rysligt fläng,
tidigt uppe, sent i säng,
alltid glad fru Kantarell
i den gula kjolen.

Alla barnen Kantarell,
hundra visst och mera,
krupit upp ur gräsets fäll
och bli ständigt flera,
alla knubbiga och små
med små gula koltar på
komma barnen Kantarell,
hundra visst och mera.

Lilla Kalle Kantarell
slog sin lilla syster.
"Kalle, kom skall du få smäll",
talar mamma dyster.
Kalle, nyss så käck och stolt,
gråter på sin fina kolt.
Stackars Kalle Kantarell
slog sin lilla syster.

Lilla Lotta Kantarell
i sin gula kappa
fick en regndroppskaramell
av sin stränga pappa.
"Är du alltid flink som nu,
blir du nog en duktig fru",
sa till Lotta Kantarell
hennes stränga pappa.

Ack, familjen Kantarell
lever där i gamman,
tills de så en vacker kväll
plockas allesamman,
rensas vid ett trädgårdsbord,
bort med skägg och skräp och jord!
Ack, familjen Kantarell
plockats allesamman!

Stackars pappa Kantarell
puttrar i en gryta.
Stackars mamma Kantarell
ville gärna byta.
Men som läcker sommarmat
hamna alla på ett fat,
och du äter kantarell
och vill inte byta.

Bild Elsa Beskow

Text Jeanna Oterdahl

Musik Herman Palm

Har du sett herr Kan-ta-rell, bor i e-ne-bac-ken? Han kom dit i förr-går kväll med sin hatt på
nac-ken. Den är gul, och den är grann, pas-sar just en så-dan man, pas-sar åt herr Kan-ta-rell bort i e-ne-bac-ken.

99

Barnen leker
»mamma och barn«

»God dag, min fru, jag ser, min fru,
ni lillan har i famnen.»
O ja, min fru, o ja, min fru,
jag vaggar henne nu.
Oj, oj, oj, oj, oj, oj, ett sånt besvär man har
att vagga och vyssa och vyssa lillan sin.

»God dag, min fru, jag ser, min fru,
ni lillan har i famnen.»
O ja, min fru, o ja, min fru,
jag tvättar henne nu.
Oj, oj, oj, oj, oj, oj, ett sånt besvär man har
att tvätta och tvätta och tvätta lillan sin.

»God dag, min fru, jag ser, min fru,
ni lillan har i famnen.»
O ja, min fru, o ja, min fru,
jag matar henne nu.
Oj, oj, oj, oj, oj, oj, ett sånt besvär man har
att mata och mata och mata lillan sin.

»God dag, min fru, jag ser, min fru
ni lillan har i famnen.»
O ja, min fru, o ja, min fru,
jag smäller henne nu.
Oj, oj, oj, oj, oj, oj, ett sånt besvär man har
att smälla och smälla och smälla lillan sin.

»God dag, min fru, jag ser, min fru
ni lillan har i famnen.»
O ja, min fru, men snart, min fru,
så lär hon sig att gå.
Oj, oj, oj, oj, oj, oj, ett sånt besvär man har
att lära och lära och lära lillan sin.

»God dag, min fru, men säj mej nu,
nog blir ni trött på lillan?»
O nej, min fru, o nej, min fru,
nej aldrig i min dar.
Ni ser ju, ni ser ju att visst besvär man har,
men lillan, hon är ju det käraste jag har.

Text Alice Tegnér   *Bild* Eva Eriksson

101

Kungens lilla piga

I kungens granna slotts stora, stora, stora kök
det finns en liten, liten, liten piga.
Hon alltid har så brått, för där är så mycket stök,
och jämt ska hon för alla vackert niga.
Och bannor utav alla hon måste ta emot
för jämt är lilla näsan så rysligt svart av sot,
och tidigast av alla hon stiger ur sin säng,
och se'n går hela dagen lång uti ett enda fläng.

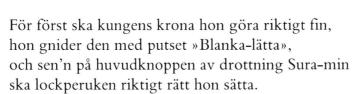

För först ska kungens krona hon göra riktigt fin,
hon gnider den med putset »Blanka-lätta»,
och sen'n på huvudknoppen av drottning Sura-min
ska lockperuken riktigt rätt hon sätta.

Och se'n går hon och väcker prinsessan Ädelknopp
och tittar noga efter, att snällt hon stiger opp,
och sedan under dagen hon har ett fasligt sjå
att lära allra, allra minsta lilla prinsen gå.

Och hon ska sopa trappan, och hon ska skura golv,
och hon ska bära slask och ved och vatten.
Hon kommer ej i säng, förrän klockan slagit tolv,
och då så får hon ligga bredvid katten.

Men hon är aldrig ledsen, fast det är mycket knog,
hur än det går i livet, så klarar hon sig nog,
för se hon går och sjunger så glatt, vad än hon gör,
ty kungens lilla piga har ett strålande humör.

Text Anna-Lisa Frykman   *Bild* Kerstin Frykstrand

Tomtarnas julnatt

Midnatt råder, tyst det är i husen,
tyst i husen.
Alla sova, släckta äro ljusen,
äro ljusen.
Refr. Tipp, tapp, tipp, tapp,
tippetippetipp, tapp, tipp, tipp, tapp.

Se, då krypa tomtar upp ur vrårna,
upp ur vrårna,
lyssna, speja, trippa fram på tårna,
fram på tårna.
Refr.

Snälla folket låtit maten rara,
maten rara,
stå på bordet åt en tomteskara,
tomteskara.
Refr.

Gröt och skinka, lilla äppelbiten,
äppelbiten.
Tänk, så rart det smakar Nisse liten,
Nisse liten.
Refr.

Sedan åter in i tysta vrårna,
tysta vrårna.
Tomteskaran tassar nätt på tårna,
nätt på tårna.
Tipp, tapp, tipp, tapp,
tippe-tippe-tipp-tapp
tipp, tipp, tapp.

Text Alfred Smedberg *Bild* John Bauer

Barnkammarrim

illustrerade av KATE GREENAWAY

Katten sitter i plommonträt
och tuggar på mormors kaka.
En kyss eller två
ska den gosse få
som hämtar katten tillbaka.

Lille Pär-Björn
sitter tyst i ett hörn
plockar bort russin ur kakan
Så snäll jag är
som tar bort sånt här
som ingen vill ha,
säjer Pär.

Lilla fru Luva
sitter på en tuva
och äter sin älsklingsrätt.
En spindel klättrar ned
vill så gärna vara med.
Då flyger fru Luva upp från sin tuva.

När Gullan Glad och Putte Blad
gick ut och gick en söndag,
sa Putte Blad till Gullan Glad:
– I morgon är det måndag.

Det var en gammal gumma
ett trevligt hus hon har
och har hon inte flyttat
så bor hon säkert kvar.

Ringeli, ringeli rosen,
gula aprikosen,
blå viol, förgätmigej,
alla barnen sätter sig!

TUPPFÄKTNINGEN

eller

KACKALORUM I BULJONGEN

av WILHELM BUSCH

Tuppen Tankred, törstig, tittar
ner i skålen där han hittar
het och härlig soppa.

Tuppen Titus, hungrig, suktar,
när han på buljongen luktar
och vill magen proppa.

Men — de når, trots mycken möda,
knappt med näbbarna sin föda.
Ack, vad är att göra?

Tankred blänger mot sin bror.
Titus grymt tillbaka glor:
"Alltid ska du störa!"

Tonårstuppars vana är
att börja fäktas just så här,
öga emot öga.

Ett förskräckligt sprättande
följs av krafs och skvättande.
Men det hjälper föga.

Tuppar brukar, när de kivas,
klor och sporrar för att rivas.
Ilsket kammen glöder.

109

Titus allra bästa fjäder
kniper Tankred, som sig gläder
åt att brodern blöder.

Titus tvärarg, vill nu hämnas.
Här ska inga fjädrar lämnas!
Se! Han ger tillbaka!

Av ett ryck i huvudsvålen
faller Tankred ned i skålen.
Titus efter brakar.

Soppans salt i såren smärtar
hemskt i deras nakna stjärtar.
Blint de slåss i krukan.

Och den välter! Allting rinner
ut på golvet. Ingen vinner
– utom Avundsjukan!

Hunden Totte, utan prut,
gör på brödrastriden slut:
"Stygga bråkstakar, vet hut!"

Trötta, skamsna, drypande
skiljs de, nästan krypande.
Ingen fick sig mätta!

Men Totte får ett smakligt mål
när han slickar rent vår skål.
– Vad lär vi av detta?

Svensk text Cilla Ingvar

Farbror Fille och hans Ford

AV ÅKE LEWERTH

textbearbetning av Britt G. Hallqvist

Detta hus är smalt och tunt,
det går fort att kila runt.
Det är grönt med rödgult tak
(dörren är förstås därbak).
Blåa, prickiga gardiner
drar man för när solen skiner.

Det är farbror Filles kåk
och vid vägen står hans åk,
gamla Forden, ful och sliten,
som han fick när han var liten.
Nu har Fille gråa hår
och hans Ford är 40 år.

Solen skiner glad och rund.
Fille vill gå ut en stund.

Fille undrar om hans bil
orkar köra några mil.
Slut är oljan och bensinen,
arg är Ford — det syns på minen.
"Kära vän, hur är det fatt?"
frågar Fille Rutighatt.

Farbror Fille töffar fram
glad och nöjd i vägens damm
och den dumma mopsen undrar
vad det är som snor och dundrar.
Fille kör till en affär
där hans söta fästmö är.

Reser så en stege opp,
klättrar kvickt till Fordens topp,
hämtar flaskan, ger sin vän
först bensin och olja sen.
Medan igelkott och katt
glor på Fille Rutighatt.

Fröken Fylli Diamant
är en ganska älsklig tant.
Och när Fille köper tvålar
båda hennes ögon strålar.
Pojken får en polkagris
för ett mycket billigt pris.

Farbror Fille hör ett tut
rusar strax på trappan ut.
Full av fasa får han skåda
tjuvarna som tar hans låda.
"Vänta lite, snälla rara!"
— Men de två försvinner bara.

Men därute smyger två
fulingar så tyst på tå.
Först går Ping, den blå banditen.
Pong har lösskägg och är liten.
De har tröttnat på att traska
och vill stjäla Ford och flaska.

Hellre ville Fille dö
än av Forden ta adjö.
Handlarns cykel står vid knuten,
Fille tar den. På minuten
är han efter Pong och Ping.
Undan, gubbar! Plingeling!

Och nu brakar striden loss.
Skepparn kastar ut en tross,
fångar Pong som är så fräck,
binder honom på sitt däck.
Ping står blek på bilens topp
och funderar på ett dopp.

Fille kommer om en stund
till en bro så konstigt rund,
hinner fatt de stygga två.
Här vill Forden inte gå.
Pong får bak på bilen skjuta.
— Men på vattnet går en skuta.

Ett tu tre i böljan blå
hoppar Ping med hatten på.
Fiskar vimlar likt ett myggstim
omkring Ping som simmar ryggsim.
Farbror Fille måste följa'n
ner i kusligt kalla böljan.

Var sin tjuv tar Knall och Fall
medan vinden blåser kall.

Hastigt båten styr mot strand.
Två poliser står i land.
Knall är en och Fall den andra.
Och med dem får Pong nu vandra.
Fille kommer strax därpå
fram med fuling nummer två.

Morgon, eftermiddag, kväll
sitter Ping och Pong i cell.
Mycket obekväm är finkan.
Ping och Pong får ont i skinkan
för att bänken är så hård.
Varför tog de Filles Ford?

Glad är Fille Rutighatt,
kramar hårt om Fordens ratt,
fingrar ömt på broms och spakar
medan kärran hemåt skakar,
viskar: "Gamle vän, du är den
bästa bil i hela världen!"

Mumintrollets visa
av Tove Jansson

Det finns så många vägar man gärna ville gå,
så många filifjonkor man borde hälsa på,
det finns så många saker man inte kan förstå
– att somliga är stora och somliga är små,

att somt är svart och somt är vitt
och skillnaden på ditt och mitt,
på dur och moll och troll och troll –
och ja och nej.

Jag är ett mumintroll som tror
att världen kanske är för stor
för mig.

men —
jag lägger mej i gräset och vilar mina ben
och slutar att fundera i solens gula sken,
nån annan kan fundera, nån klokare än jag,
en så här varm och vänlig och sömnig sommardag,

då allt är blått och luktar gott
och man är fri till trolleri,
till vad man vill — men låter bli —
och ligger still.

Jag är ett troll som du och tror
att världen, det är där jag bor
just nu.

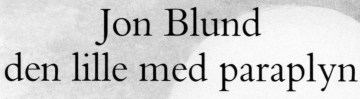

Jon Blund
den lille med paraplyn

Jon Blund den lille med paraplyn,
han känner alla små barn i byn,
var liten gosse, var flicka snäll,
han kommer hem till varenda kväll.

I paraplyn han gömmer drömmar,
en saga ut ur dess inre strömmar,
när blott du somnat och sover gott,
Jon Blund dig visar ett sagoslott.

Av diamanter lär slottet vara,
en näpen prins och prinsessor rara
bo däruti med en liten fe,
som är det vackraste man kan se.

För att få se det, du måste lova
att hela natten beskedligt sova,
och hela dagen mot mor och far
se'n vara lydig och snäll och rar.

Text Peter Lemche
Bild Ilon Wikland

Tryggare kan ingen vara
än Guds lilla barnaskara;
stjärnan ej på himlafästet
fågeln ej i kända nästet.

Vad han tar och vad han giver,
samme fader han dock bliver;
och hans mål är blott det ena:
Barnets sanna väl allena.

Bild Charlotte Ramel

Gud som haver barnen kär,
se till mig som liten är.
Vart jag mig i världen vänder,
står min lycka i Guds händer.
Lyckan kommer, Lyckan går,
den Gud älskar Lyckan får.

VÄRLDEN ÄR SÅ STOR

Världen är så stor, så stor,
Lasse, Lasse liten,
större än du nånsin tror,
Lasse, Lasse liten.

Där är varmt och där är kallt,
Lasse, Lasse liten,
men Gud råder överallt,
Lasse, Lasse liten.

Långt det är från öst till väst,
Lasse, Lasse liten,
Borta bra, men hemma bäst,
Lasse, Lasse liten.

Text Zachris Topelius
Bild Einar Nerman

Register